KB136810

편도 티켓이라도 괜찮아

편도 티켓이라도 괜찮아

초판 1쇄 인쇄 2018년 11월 21일
초판 1쇄 발행 2018년 11월 28일

지은이 김상수(@yoribogo_)

발행인 장상진
발행처 (주)경향비피
등록번호 제2012-000228호
등록일자 2012년 7월 2일

주소 서울시 영등포구 양평동 2가 37-1번지 동아프라임밸리 507-508호
전화 1644-5613 | **팩스** 02) 304-5613

ISBN 978-89-6952-307-5 14980
978-89-6952-311-2 (SET)

· 값은 표지에 있습니다.
· 파본은 구입하신 서점에서 바꿔드립니다.

편도 티켓이라도 괜찮아

김상수
@yoribogo_

사색
유람

경향BP

내가 알 수 있는 건 내 마음뿐,

내가 할 수 있는 건 내 마음을 바꾸는 것뿐.

이름도 모르는 이가 나를 눈여겨본다면
그건 내가 멀리 떠나왔다는 뜻이겠지.
익숙해질 듯 익숙해지지 않는 이방인을 바라보는 시선.

언제나 선택은 둘 중에 하나,
떠나든가 미련 속에 살든가.
어차피 후회하는 건 마찬가지니까.

괜히 집에 들어가기 싫은 날,
무작정 버스에서 내려 걷다가
우연히 한강을 마주했을 때의 안도감.

떠나자.

그대의 다음 문장은 무엇입니까?
다음 문장을 읽어보세요.
"후회 없는 선택이었다."

JORDAN
23

뜬금없이 전화해서 "뭐해?"라고 물어보고,
"나랑 얘기하자."라고 해주는 사람.

직접 가봐야 느낄 수 있는 장소의 정신이라는 것이 있다.
누군가에게는 에펠탑이, 누군가에게는 도쿄타워가 그렇다.

커플밭 속에 외로이 홀로 핀 억새가 된 것 같은 기분이
들 때가 있다.
혼자 여행해도 좋지만 누군가 내 옆에 있었으면 하는 그런 때.

Are you ready for the last act?

오늘이 지나면 다시 돌아가야 하니까.

오늘이 내 생애 마지막인 것처럼.

여기가 아니면 돌아갈 곳이 없는 것처럼.

다리 위에 저녁 해가 걸렸을 때 이렇게 빌곤 한다.

넘어가지 않았으면, 오늘이 영영 지나가지 않았으면.

담수와 해수가 만날 때 삼투현상이 생긴다.
각기 농도가 다른 두 사람이 만날 때도 마찬가지다.
마음이 낮은 농도에서 높은 농도로 이동한다.
사람들은 이것을 '사랑'이라고 부른다.

사부작거리는 바람 소리만이 정적을 채웠다.
소란스러운 사람들의 소리보다
바람 소리가 안도와 위로를 줄 때가 있다.

문득 뒤돌아봤을 때,

후회는 있더라도 미련은 없길.

away w

picn2k
x
yoribogo_

손끝으로 느껴지는 아날로그 감성,

그것이 사진집의 매력이 아닐까.

손톱을 깨끗하게 정리하고

핸드크림을 듬뿍 바른 날 밤의 든든함.

"오늘 하루 어땠어?"라고 물어봐주는 사람.

밥은 먹었냐며 같이 밥 먹어주는 사람.

어른이 되고 싶다.
하지만 어른이 되고 싶지 않다.
그렇게 어른이 되었다.

돌아보니 나아진 것이 거의 없다.
단지 무엇이 소중한지 더 알게 된다.

지나간 순간의 각별함은
그 순간을 종종 잊고 살아도 희미해지진 않는다.
다시 맞닥뜨렸을 때 더 선명해진다.

그리움의 질량은 절대로 줄어들지 않는다.
시간이 지날수록 점점 더 늘어날 뿐이다.

젊으니까 조금은 무모해도 괜찮다.
괜찮지 않다면 늙기 시작한 거니까.

바쁜 걸음도 멈추게 하는 풍경이 있다.
아무리 바빠도 꼭 담아야 하는 그런 풍경.

세상을 좀 더 다른 각도에서 바라보는 것,

그것이 내가 사진을 찍는 목적이자 이유가 되길.

우리가 계절이라면,
따스한 향과 함께
저녁이 오는 걸 볼 수 있는 계절이길.

시차, 눈동자와 머리색, 언어까지 모두 바뀌면
철저히 이방인이 된 기분이 좋기도 하다.

SURF RESCUE

무거운 짐은 잠시 내려놓고

시원한 바람과 푸른 물결이 부는 곳으로 떠나요.

젖는다는 건 물든다는 뜻.

너로 젖고, 너로 물들고,

결국엔 온통 너로 채워진다.

다시 길 위에.
걱정은 저 멀리 내던지고,
그대와 나로 충분한 거지.

계절이 바뀌는 지점에서 기다릴게.

너무 서두르지도, 너무 오래 걸리지도 않게 와주길 바라.

LA
VIE
DES
MARIÉS

달은 차고 기울지만

널 향한 내 그리움은 별이 되어 반짝인다.

저 빛을 따 네게만 줄게.

내 곁에서만 반짝여줘.

봄이 겨울을 밀어내듯
하루가 또 다른 하루를 밀어내고
아픔이 또 다른 아픔을 밀어낸다.

떠나야 하는 마음과 떠나보내야 하는 마음.

도 다음에 레가 오는 것처럼
내 옆엔 항상 너였으면 좋겠다.

COVERNAT

영원한 건 없지만
영원 같은 순간은 늘 있는 법이니까.

늘 돌아오는 계절의 일이겠거니.

더우면 더운 대로 추우면 추운 대로.

떠나는 법을 알면 돌아가는 법도 알아야지.

잠깐 방황해도 괜찮아.

모든 건 제자리로 돌아오기 마련이거든.

나의 정적과 그대의 정적이 수평선을 그릴 때.

흩날리는 봄날,

엎질러진 봄날,

돌이킬 수 없는 봄날.

어른이 되는 것은 그저 견뎌내는 것.

내부가 보이지 않는 곳에 들어갈 때의 설렘.

祇園
5

보는 것, 보이는 것.

결국엔 시선의 문제.

오늘의 반대말은 무엇일까,

너의 반대말은 무엇일까.

매일 한 번씩 사용하시오.

"괜찮아, 잘했어, 사랑해."

MSC
RETAIL FOR LEASE
M.S. FOX REAL ESTATE GROUP
OFFICE SPACE
FOR LEASE

- BÚN SƯỜNG NON
- BÚN ĐẬU MẮM TÔM
- BÚN NEM HÀ NỘI
- CHẢ CỐM LÀNG VÒNG
BẢO TRÂN
Coca-Cola
PEPSI

늘 한결같은 사람이 짙은 흔적을 남기는 법이지.

코트 주머니에 손을 넣어보니
지난겨울에는 없었던 낭만이 있더라.

달이 닻을 내렸다.

별들이 돌아오는 시간.

살아간다는 것은 결국 돌아갈 곳을 만들기 위한 일련의 과정.

하나씩 줄어드는 음, 해체되는 연주, 종내에는 침묵.

1월 하고도 이틀이나 더 지났고,
공기는 어느새 점점 더 선명해지고.

FOLLOW YOUR DREAMS

당신의 꿈을 훔치고 싶어요.

여름밤에 맥도널드 아이스크림콘이라든가

가을밤에 고궁 산책이라든가 뭐 그런 것들.

언제 들어도 좋은 말
"너로 인해 행복해."

눈으로만 감상해주세요.

궁, 달, 밤 이런 것들.

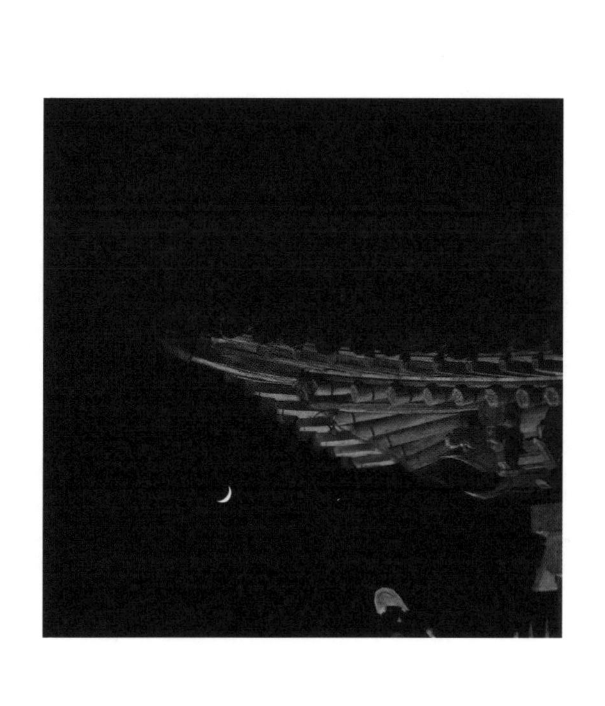

아이스 아메리카노에서
따뜻한 아메리카노로 갈아탈 시간.

안녕의 각도.

Asahi CALPIS

마음도 이렇게 착착 정리되면 얼마나 좋을까.

불이 필요하지 않은 시간.

서두르지 말고 천천히 걷기.

마음이 따라오지 못하고 뒤처지지 않게.

멋진 해피엔딩으로

계절과 계절 사이.

여름의 한 조각.

밤 산책 짝꿍이 필요한 계절이 오고 있잖아.

장마가 시작되면 화창한 날의 사진을 자주 보곤 한다.
눅눅하던 마음이 금세 빳빳하게 마르는 기분이다.

참아야 하는 것들, 참을 수 없게 만드는 것들.

"뭐해? 나와, 맥주나 한잔하자." 하고
편하게 볼 수 있는 동네 친구가 있었으면.

P
Taxi

꽃 냄새, 햇살, 바람, 재잘거림.

오늘은 하루 종일 이곳 생각이 간절했어.

향으로 기록된 감각의 단편.

선물 같았던 날씨가 누구에게나 있다.

꽃 같은 그대들, 그곳은 항상 봄이길.

밤은 길었고 우리는 말없이 걸었지.

우리는 태어나서부터 늘 무언가를 기다리지.

봄은 어디서 살까요?

다가가는 나, 기다리는 나,

그 사이에 어쩌지 못하는 나.

1176
NIHON KOTSU
TAXI
TAXI
アプリで呼べる。

비는 못 보고, 비가 남긴 흔적만 보았네.

봄, 벚꽃, 전시, 아이스커피,

내가 좋아하는 것들로 채워지는 하루.

침대 밑에 소금기 없는 파도가 친다.

'보고 싶다.'라는 말은 볼 수 없을 때 쓰는 말이라 슬퍼.

애초에 볼 수 있었으면 보고 싶다 하지 않았겠지.

물에 닿지 않아도

파도 소리에 젖고

노을빛에 빠지던 순간.

파도에 닿지 않아도 마음이 쓸려갔던 날.

기억은 일시적이라서

잊어버리기 전에

사진으로 남겨야 추억으로 남는다.

모두에게 주어지는 아름다울 몫,

너의 아름다움을 내가 담아줄게.

차곡차곡 쌓이는 순간들이
의미가 되어 남겠지.

차가운 냄새가 희미해지는 순간,

그렇게 봄이 온다.

사소한 아름다움을 볼 수 있는 능력.

너무 빨리 지나가서 체할 거 같은 순간이 있다.

휴가라든지 주말이라든지,

지금 당장 나에게 꼭 필요한 처방.

A GOOD DAY

낯선 곳에서 묻는 달의 안부.

세상의 전부가 골목이었던 시절.

きむら

마지막이 되면 처음을 생각하게 된다.

네가 무수히 쏟아지는 밤.

먹고 싶었던 음식을 먹고,

보고 싶었던 영화를 보고,

사고 싶었던 책을 사고,

듣고 싶었던 목소리를 듣고.

좋은 하루의 정의.

말하기의 다른 방법.

another way of telling.

기억을 추억으로 만드는 방법.

白井美術
消火栓

순간이 영원이 될 때.

하루를 견뎌내면 받게 되는 선물.

가득 담고 또 그렇게 앓고.

여기선 모두가 이방인.

들리지 않을 걸 알면서 불러보는 당신의 이름.